❤ 爱 的 教 育 绘 本 ❤

好朋友,谢谢你

学会发现身边的美好事物

龚房芳 画本

龚房芳 编著
梁熙曼 绘画

吉林美术出版社｜全国百佳图书出版单位

yǎn shǔ měi tiān zài dì xià máng zhe   chú le wā tǔ jiù shì bān shí tou
鼹鼠每天在地下忙着，除了挖土就是搬石头。

kēng chī   kēng chī   tā máng gè bù tíng
吭哧，吭哧……他忙个不停。

děng yi děng   tā duì zì jǐ shuō   rán
"等一等！"他对自己说，然

hòu tā tíng le xià lái   dī tóu qù kàn jiǎo xià
后他停了下来，低头去看脚下。

tā de yǎn jing shèn zhì fā chū le guāngliàng
他的眼睛甚至发出了光亮。

2

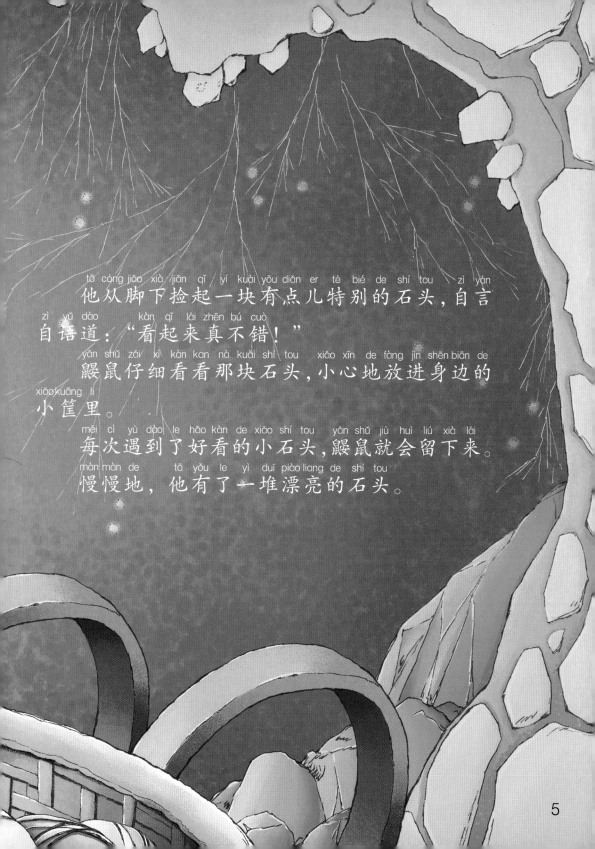

他从脚下捡起一块有点儿特别的石头，自言
自语道："看起来真不错！"

鼹鼠仔细看看那块石头，小心地放进身边的
小筐里。

每次遇到了好看的小石头，鼹鼠就会留下来。
慢慢地，他有了一堆漂亮的石头。

5

累了的时候，鼹鼠也会钻出地面，和附近的几个好朋友一起待上一会儿。

"嘿！鼹鼠，欢迎上来！"朋友们看到他，都很高兴。

好朋友见面总要说点儿什么，每一次说的事儿当然都不一样。

这一次，大家好像在说门帘。

6

7

野兔躺在草地上，嘴里含着一根茅草，说话的时候那根草就跟着乱动，"我编了一副草帘子，挂在门上，别提多好看了。"

"有多好看？" 鼹鼠问。

"有多好看？" 河狸问。

"有多好看？" 松鼠问。

9

野兔忍不住坐起来比画着："毛茸茸的，有星星草做的花纹，还有薰衣草的香味，我敢说，这是最有趣的帘子了。"

wǒ cāi nǐ è jí le hái kě yǐ chī tā ne
"我猜，你饿急了还可以吃它呢。"
hé lí gēn yě tù kāi qǐ le wán xiào
河狸跟野兔开起了玩笑。
yě tù rèn zhēn de shuō duō xiè nǐ de tí xǐng
野兔认真地说："多谢你的提醒，
rú guǒ wǒ de cún liáng chī wán le zhēn de yǒu kě néng cháng
如果我的存粮吃完了，真的有可能尝
chang cǎo lián zi de wèi dào yo
尝草帘子的味道哟。"

11

hé lí xiào le   tā xiǎng le xiǎngshuō   zhè me shuō wǒ de lián
河狸笑了，他想了想说："这么说我的帘
zi yě duō le yí gè zuò yòng   jiù shì mó yá   hā hā
子也多了一个作用，就是磨牙。哈哈！"
ó   nǐ yě zuò le lián zi   dà jiā yì qǐ wèn
"哦？你也做了帘子？"大家一起问。

"那当然，"河狸自豪地说，"我的帘子肯定跟你们的不一样。"

大家更好奇了："哦？怎么不一样呢？"

13

河狸连说带比画，大家很快就明白了，原来他把小树枝截成了很多小段，用绳子连起来，也做成了门帘。

听他说起来也是很好看的嘛，鼹鼠想象着小细棍儿门帘，大概像雨丝垂在门口吧。

yǔ sī yīng gāi shā shā de luò xià
雨丝应该沙沙地落下。

kě shì wèi shén me yǎn shǔ de ěr biān xiǎng qǐ de què shì bāng
可是，为什么鼹鼠的耳边响起的却是梆

bāng bāng de shēng yīn
梆梆的声音？

yuán lái shì sōng shǔ zài bù tíng de qiāo zhe xiàng guǒ
原来是松鼠在不停地敲着橡果。

yě tù wèn dào　　　nán dào nǐ bù dǎ suàn zuò gè mén lián ma
野兔问道:"难道你不打算做个门帘吗?"

sōng shǔ tíng xià qiāo dǎ　　xiào zhe huí dá　　　wǒ xiàn zài zhèng shì wèi
松鼠停下敲打,笑着回答:"我现在正是为

zuò mén lián zhǔn bèi ne
做门帘准备呢。"

yuán lái sōng shǔ zài gěi xiàng guǒ dǎ
原来松鼠在给橡果打
dòng yǎn er ne　tā dǎ suàn yòng lù téng
洞眼儿呢，她打算用绿藤
bǎ nà xiē xiàng guǒ dōu chuān qǐ lái　zhè
把那些橡果都穿起来。这
yàng　fēng chuī lái de shí hou　xiàng guǒ
样，风吹来的时候，橡果
mén lián jiù huì fā chū yì xiē shēng yīn
门帘就会发出一些声音。

yě xǔ mén lián de gē shēng néng ràng wǒ gèng kuài
"也许门帘的歌声能让我更快
de rù shuì ne　sōng shǔ mī zhe yǎn shuō　hǎo xiàng
地入睡呢。"松鼠眯着眼说，好像
tā yǐ jīng zài tīng mén lián de zòu yuè le
她已经在听门帘的奏乐了。

18

　　“你呢？”河狸转过头来问鼹鼠，“你不打算给
自己做个门帘吗？”

　　“我……”鼹鼠挠挠脑袋，老实地回答，“我还
真没想过呢。”

野兔托着下巴想了想说："他除了泥巴就没有别的了吧？"

"泥巴做成门帘会散开的。"松鼠很担心地说。

"哦，也许……我可以试一试，等一等，我马上回来。"鼹鼠好像突然想到了什么，他匆匆地回到了家里，拿回来一大包东西。

dà jiā dōu zhēng dà le yǎn jing
大家都睁大了眼睛，

yě tù jīng hū dào   wǒ gǎn shuō
野兔惊呼道："我敢说，

zhè jiāng huì shì zuì piào liang de mén lián
这将会是最漂亮的门帘。"

sōng shǔ shuō   wǒ bāng nǐ zhǎo zuì hǎo kàn de téng
松鼠说："我帮你找最好看的藤。"

hé lí shuō   wǒ xiǎng bāng nǐ zài zhè shàngmiàn huà huà
河狸说："我想帮你在这上面画画。"

23

没错，鼹鼠要用他收藏的石头做门帘了。
野兔用草绑住石头，松鼠用藤连起
来，河狸美化了石头……

下次见面的时候，鼹鼠说，"我的门帘会说话。"

"怎么可能？不过是石头罢了，只是很漂亮。"朋友们都摇头。

鼹鼠热情地伸出双手，"欢迎大家到我家，欢迎去听听我的门帘说什么。"

"好啊，早就想去看看了，走吧。"朋友们都等不及了。

yǎn shǔ de jiā hěn gān
鼹鼠的家很干
jìng mén lián yě piào liang
净，门帘也漂亮，
kě péng you men méi tīng dào mén
可朋友们没听到门
lián shuō shén me
帘说什么。

“我每次进门，都会想起朋友们对我的帮助。这个时候，门帘就和我心里想的一样，发出‘谢谢’‘谢谢’的声音。”鼹鼠认真地说，他的脸上，还有对朋友的感激。

"哈哈哈……"朋友们听了都大声地笑，那笑声很欢乐，在洞外都能听到。

图书在版编目(CIP)数据

好朋友,谢谢你 / 龚房芳编著. — 长春:吉林美术出版社, 2017.9
(爱的教育绘本)
ISBN 978-7-5575-2923-9

Ⅰ.①好… Ⅱ.①龚… Ⅲ.①儿童故事—图画故事—中国—当代 Ⅳ.①I287.8

中国版本图书馆 CIP 数据核字(2017)第 195617 号

AI DE JIAOYU HUIBEN　　HAO PENGYOU XIEXIE NI
爱的教育绘本　好朋友,谢谢你

编　　著	龚房芳	
绘　　画	梁熙曼	
出 版 人	赵国强	
责任编辑	王　超	
开　　本	710mm × 1000mm 1/16	
印　　张	16	
字　　数	24 千字	
版　　次	2017 年 9 月第 1 版	
印　　次	2017 年 9 月第 1 次印刷	
出版发行	吉林美术出版社	
地　　址	长春市人民大街 4646 号	
	邮编:130021	
网　　址	www.jlmspress.com	
印　　刷	武汉金苹果印业有限责任公司	

ISBN 978-7-5575-2923-9　　定　　价: 120.00 元(全 8 册)